JEUNESSE

Gilles Tibo

Illustrateur depuis plus de vingt ans, Gilles Tibo est reconnu pour ses superbes albums, dont ceux de la série *Simon*. Enthousiasmé par l'aventure de l'écriture, il a créé d'autres personnages. Il s'est laissé charmer par ces nouveaux héros qui prenaient vie, page après page. Pour notre plus grand bonheur, l'aventure de Noémie est devenue son premier roman.

Louise-Andrée Laliberté

Louise-Andrée Laliberté pratique notamment le métier d'illustratrice depuis quinze ans. Elle aime son travail parce qu'il n'est pas routinier et parce qu'aucune machine ne pourra jamais l'effectuer. Elle avoue dessiner parfois en vrai kamikaze. Elle travaille vite et il lui arrive de créer le dessin final sans faire d'esquisse. La réalisation dont elle est le plus fière : ses deux garçons. Lorsque ses dessins amusent ses enfants ou que ces derniers ouvrent grand les yeux en les regardant, alors elle se dit : mission accomplie.

Série Noémie

Noémie a sept ans et trois quarts. Avec Madame Lumbago, sa vieille gardienne qui est aussi sa voisine et sa complice, elle apprend à grandir. Lors d'événements pleins de rebondissements et de mille péripéties, elle découvre la tendresse, la complicité, l'amitié, la persévérance et la mort aussi. Coup de cœur garanti !

Noémie
Adieu,
grand-maman

Données de catalogage avant publication (Canada)

Tibo, Gilles, 1951-

   Adieu, grand-maman

   (Bilbo jeunesse ; 91)

(Noémie ; 9)

   ISBN 2-7644-0052-7

   I. Titre. II. Collection. III. Collection : Tibo, Gilles, 1951- . Noémie ; 9.

PS8589.I26A7 2000   jC843'.54   C00-940094-X
PS9589.I26A7 2000
PZ23.T52Ad 2000

Les Éditions Québec Amérique bénéficient du programme
de subvention globale du Conseil des Arts du Canada.
Elles tiennent également à remercier la SODEC
pour son appui financier.

Le Conseil des Arts | The Canada Council
du Canada | for the Arts

Nous reconnaissons l'aide financière du gouvernement du
Canada par l'entremise du Programme d'aide au développement
de l'industrie de l'édition (PADIÉ) pour nos activités d'édition.

Diffusion :
Messageries ADP
955, rue Amherst
Montréal (Québec) H2L 3K4
(514) 523-1182
extérieur : 1-800-361-4806 • télécopieur : (514) 939-0406

Dépôt légal : 1er trimestre 2000
Bibliothèque nationale du Québec
Bibliothèque nationale du Canada

Révision linguistique : Michèle Marineau
Montage : PAGEXPRESS
Première réimpression : novembre 2000

Noémie
Adieu,
grand-maman

GILLES TIBO

ILLUSTRATIONS : LOUISE-ANDRÉE LALIBERTÉ

QUÉBEC AMÉRIQUE JEUNESSE

329, rue de la Commune O., 3ᵉ étage, Montréal (Québec) H2Y 2E1, (514) 499-3000

NOÉMIE 1 - LE SECRET DE MADAME LUMBAGO, coll. Bilbo,
Québec Amérique Jeunesse, 1996.
• Prix du Gouverneur général du Canada 1996

NOÉMIE 2 - L'INCROYABLE JOURNÉE, coll. Bilbo,
Québec Amérique Jeunesse, 1996.

NOÉMIE 3 - LA CLÉ DE L'ÉNIGME, coll. Bilbo,
Québec Amérique Jeunesse, 1997.

NOÉMIE 4 - LES SEPT VÉRITÉS, coll. Bilbo,
Québec Amérique Jeunesse, 1997.

LES CAUCHEMARS DU PETIT GÉANT,
coll. Mini-Bilbo, Québec Amérique Jeunesse, 1997.

L'HIVER DU PETIT GÉANT, coll. Mini-Bilbo,
Québec Amérique Jeunesse, 1997.

NOÉMIE 5 - ALBERT AUX GRANDES OREILLES, coll. Bilbo,
Québec Amérique Jeunesse, 1998.

NOÉMIE 6 - LE CHÂTEAU DE GLACE, coll. Bilbo,
Québec Amérique Jeunesse, 1998.

LA FUSÉE DU PETIT GÉANT, coll. Mini-Bilbo,
Québec Amérique Jeunesse, 1998.

LES VOYAGES DU PETIT GÉANT, coll. Mini-Bilbo,
Québec Amérique Jeunesse, 1998.

LA NUIT ROUGE, coll. Titan,
Québec Amérique Jeunesse, 1998.

NOÉMIE 7 - LE JARDIN ZOOLOGIQUE, coll. Bilbo,
Québec Amérique Jeunesse, 1999.

NOÉMIE 8 - LA NUIT DES HORREURS, coll. Bilbo,
Québec Amérique Jeunesse, 1999.

LA PLANÈTE DU PETIT GÉANT, coll. Mini-Bilbo,
Québec Amérique Jeunesse, 1999.

NOÉMIE 9 - ADIEU, GRAND-MAMAN, coll. Bilbo,
Québec Amérique Jeunesse, 2000.

NOÉMIE 10 - LA BOITE MYSTÉRIEUSE coll. Bilbo,
Québec Amérique Jeunesse, 2000.

LA NUIT BLANCHE DU PETIT GÉANT, coll. Mini-Bilbo,
Québec Amérique Jeunesse, 2000.

L'ORAGE DU PETIT GÉANT, coll. Mini-Bilbo,
Québec Amérique Jeunesse, 2001.

LE MANGEUR DE PIERRES, roman adulte,
Québec Amérique, 2001.

À Géraldine Laplante-Brière

-1-

Les vertiges

Je ne comprends pas ce qui m'arrive. J'ai le vertige. On dirait que la classe tourne sur elle-même. Les tableaux, les pupitres, les élèves virevoltent devant moi. Ma belle grand-maman Lumbago apparaît dans le tourbillon des images. Elle est couchée dans un lit. Elle pleure. De grosses larmes coulent sur ses joues.

Je suis tellement étourdie que je m'accroche à mon pupitre. L'image de ma grand-mère tourne en transparence devant les fenêtres. Je me lève d'un coup sec. Mes crayons et

mes feuilles tombent par terre. Je m'élance vers la porte de la classe. Mon enseignante demande :

—Ça va, Noémie?

J'ouvre la porte de la classe. Je cours dans le corridor. Le plancher est luisant comme une patinoire. Je passe devant le concierge, saute par-dessus sa vadrouille, descends au rez-de-chaussée et me précipite vers la sortie. J'entends une voix :

—Qu'est-ce qui se passe, ma petite?

Je n'ai pas le temps de répondre. Dans ma tête, je vois toujours l'image de grand-maman étendue, immobile dans un lit. Je cours sur le trottoir. Au loin, j'entends la voix de la directrice de l'école :

—Reviens, Noémie! Tu n'as pas le droit de...

Je cours. Je cours. Quelque chose dans mon ventre me dit que ma grand-maman est en difficulté. Quelque chose me dit qu'elle a besoin d'aide. Mon cœur cogne, mes poumons brûlent. Je traverse quelques coins de rue, et j'arrive enfin devant la maison. Je monte les marches quatre à quatre en dégageant la clé qui est suspendue à mon cou. J'ouvre la porte. Je crie :

—Grand-maman! Grand-maman!

Pas de réponse. Je me précipite dans sa chambre. Personne!

Je fais le tour de son appartement. Personne!

Je m'assois sur une des chaises de la cuisine. Je reprends mon souffle. Sur la table, je vois deux flacons de pilules. Les deux flacons sont vides. Je lis sur une des étiquettes :

> *Madame Blanche Lumbago.*
> *Un comprimé, trois fois par jour,*
> *avant les repas.*

Sur l'autre flacon, je lis :

> *Madame Blanche Lumbago.*
> *Un comprimé, matin et soir.*

Je n'en reviens pas. Grand-maman avale cinq pilules par jour, et pourtant elle n'est pas malade. Ou bien elle fait semblant de ne pas être malade. Ou bien elle est très malade et elle le cache pour que je ne m'énerve pas.

Plus j'y pense, plus je m'énerve. Plus je m'énerve, plus mon cœur bat fort. Plus mon cœur bat fort, plus je suis étourdie. Les murs de la cuisine commencent à tourner lentement.

Je m'agrippe à la table. La cuisinière et le réfrigérateur tournent de plus en plus vite. Soudain, je vois apparaître l'image de grand-maman. Elle est étendue, immobile dans un lit, les yeux grands ouverts comme si elle était...

Je suis incapable de supporter cette image. J'essaie de penser à autre chose. Je pense au chat, au serin, mais je vois toujours l'image de grand-maman sur son lit de...

Je me concentre en regardant les flacons de pilules. Je lis et relis les étiquettes. Soudain, les murs s'immobilisent d'un coup sec. La cuisinière et le réfrigérateur reprennent leur place.

J'enfouis les flacons dans mes poches et je me précipite sur le balcon. Je descends

l'escalier et je cours sur le trottoir. Je cours, je cours comme
une vraie gazelle.

-2-

Les recherches

En courant, je vérifie l'adresse imprimée sur l'étiquette des flacons. Je tourne à droite au premier coin de rue. J'évite de justesse deux dames qui papotent. Je cours dans la rue commerciale en regardant les numéros. J'approche, j'approche. Je me précipite à l'intérieur de la pharmacie. Je suis tellement essoufflée et tellement étourdie que je m'empêtre dans le tapis de l'entrée. Quelques clients me regardent d'un air ahuri. En me relevant, je dis :

—Excusez-moi! Excusez-moi!

Puis, en marchant très vite, je jette des coups d'œil rapides dans les allées. Je vois des vendeurs, des vendeuses, des dames, des messieurs, mais aucune grand-maman Lumbago. On croirait qu'elle a quitté cette planète...

Je m'arrête au comptoir des prescriptions. Je reprends mon souffle. Un pharmacien se penche et me demande :

— Ça va, ma petite ?

— Oui... Oui... Je cherche ma grand-mère... qui prend ces pilules...

Je tends les flacons au pharmacien, puis je lui demande :

— Ce sont des pilules pour quelle sorte de maladie ?

— Je ne peux pas te le dire, ce sont des informations confidentielles.

— Est-ce pour une maladie... mortelle ?

Le pharmacien me redonne
les flacons vides. Il remonte les
lunettes sur son nez et hausse
les épaules pour signifier qu'il
ne peut rien dire.

Je mets les flacons au fond
de ma poche et je repars, la
mine basse. Je n'ai pas fait cinq
pas que le pharmacien me
lance :

—Si ta grand-mère doit renouveler ses médicaments, elle est peut-être en haut, à la clinique médicale! C'est la première porte à droite en sortant!

Je sors de la pharmacie en courant et, sans le vouloir, je fonce sur une dame qui est en train de mendier. Bang! La monnaie qu'elle avait ramassée dans un chapeau vole de tous les côtés.

—Excusez-moi! Excusez-moi!

En vitesse, je ramasse les pièces de monnaie et les replace dans le chapeau. Puis j'ouvre la porte de la clinique médicale et j'emprunte l'escalier en volant au-dessus des marches.

J'arrive tout essoufflée dans la salle d'attente. Je jette un coup d'œil rapide. Une dizaine

de patients regardent une télévision suspendue dans les airs.
Quelques-uns toussent très
fort. D'autres semblent faire de
la fièvre, et d'autres n'ont même
pas l'air malades. On croirait
qu'ils font semblant. Ils n'ont
peut-être pas de télévision
dans leur maison...

Une chose est certaine :
grand-maman n'est pas ici. Malade ou pas malade, je la recon-
naîtrais au premier coup d'œil.
Je suis tellement essoufflée que
j'ai de la difficulté à respirer.

La réceptionniste se lève et
me demande :

—Fais-tu une crise d'asthme?
Où sont tes parents?

Je réussis à dire entre deux
respirations :

—Non... Je ne suis pas malade... Je... cherche... ma grand-
maman...

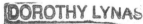

—Ah!

—Elle s'appelle grand-maman Lumbago... Je veux dire : madame Lumbago.

La réceptionniste regarde une grande feuille sur son bureau :

—Madame Lumbago est présentement en consultation avec un médecin...

—Un médecin? Pourquoi un médecin?

La réceptionniste lève les yeux au plafond :

—Parce que nous sommes dans une clinique médicale. Et, dans une clinique médicale, il y a des médecins...

—Je veux la voir immédiatement!

—Impossible! Tu dois attendre!

Je regarde la réceptionniste dans les yeux. Les mots sortent

de ma bouche en se bouscu-
lant les uns les autres :

—Mais vous ne comprenez
donc pas que c'est une urgence
épouvantable! Je viens d'ap-
prendre que ma grand-mère
consulte un médecin en ca-
chette. Elle est tellement malade
qu'elle me cache la vérité à
cause de ses flacons de pilules
vides que j'ai trouvés sur la
table de la cuisine parce que
j'étais tellement étourdie à
l'école qu'elle m'est apparue
presque morte sur un lit que je
ne connaissais pas! Il me
semble que c'est clair, non?

Tous les patients détournent
leur regard de la télévision et
me regardent avec de grands
yeux. Je deviens rouge comme
une tomate.

La réceptionniste me répond
d'un ton autoritaire :

—Tu vas t'asseoir immédiatement, et tu attends que madame Lumbago sorte du bureau
du médecin.

En disant ça, elle montre du
doigt une porte derrière le
comptoir. Sans même réfléchir,
je me précipite vers la porte.

La réceptionniste crie à tue-tête :

—Mais... Mais... que fais-tu? Tu n'as pas le droit! Tu n'as pas...

Dans mon élan, j'ouvre la porte et je m'arrête net. J'aperçois un médecin habillé avec une grande chemise blanche. Il regarde dans la bouche d'une dame avec une lampe de poche. Tous les deux sursautent en me voyant. Je bafouille :

—Je... heu... Excusez-moi.

La réceptionniste m'agrippe par l'épaule :

—Non, mais... En voilà des manières!

Elle fait un faux sourire au médecin, puis referme la porte en me serrant le bras. Elle m'entraîne vers la salle d'attente. Tout le monde me regarde. Plus personne ne tousse. C'est le silence total. Je dis à la réceptionniste :

— Ce n'est pas nécessaire de m'arracher le bras. Je suis capable de marcher toute seule.

Sous les regards des patients, je m'avance vers une chaise libre. J'essaie de m'asseoir, mais je me relève aussitôt. J'essaie encore, mais je me relève comme si j'avais des ressorts sous les fesses. Je suis trop tendue. Je reste debout et je me balance sur une jambe puis sur l'autre. Soudain, quelqu'un toussote derrière moi :

— Excusez-moi, mademoiselle, vous me cachez la télévision.

Je me déplace sur le côté et je fais les cent pas le long du mur. La réceptionniste fait semblant de consulter ses dossiers. La tête penchée, elle me surveille du coin de l'œil. Je marche comme un animal en cage.

Soudain, une porte s'ouvre. J'aperçois grand-maman qui sort d'un bureau en refermant son sac à main. Je crie :

— Grand-maman !

Elle relève la tête :

— Noémie !

Je m'élance vers elle.

— Mais… Noémie… Que fais-tu là ? Es-tu malade ?

— Moi, non ! Mais vous ?

— Mais que fais-tu ici ?

Je me blottis contre ma grand-mère :

— À l'école, je suis devenue tout étourdie. Les murs tournaient. Je vous ai vue couchée sur un lit. Je pensais que vous étiez… J'ai couru jusque chez vous. Dans la cuisine, j'ai vu vos flacons de pilules. Ils étaient vides.

Grand-maman murmure :

—Mon Dieu Seigneur....

Puis elle ferme les yeux, me serre dans ses bras et me caresse les cheveux. Soudain, son bras frôle ma joue. J'aperçois un petit pansement à l'intérieur de son coude.

—Grand-maman, avez-vous une maladie du coude?

—Mais non... On vient de me faire une prise de sang...

—Pourquoi?

—Pour faire analyser mon sang... pour savoir si tout va bien...

—Est-ce que tout va bien?

—... Oui... Oui... Je crois... que tout va bien.

—Alors, puisque tout va bien, pourquoi des pilules et des prises de sang et tout et tout?

La réceptionniste, qui nous

épie depuis un bon moment, nous fait signe de ne pas rester dans le corridor. Elle passe devant nous, pénètre dans le bureau du médecin et en ressort avec plusieurs dossiers. Sur le dessus de la pile, j'entrevois un dossier très épais. Sur la couverture, je lis : Blanche Lumbago.

— Grand-maman, pour quelqu'un qui n'est pas malade, vous avez un gros dossier!

— Bon, viens, Noémie... Ce n'est pas un endroit pour discuter!

-3-

À la pharmacie

Je descends les marches de la clinique en tenant la main de grand-maman. J'attends qu'elle me donne des explications, mais elle est muette comme un poisson. Je m'arrête en plein milieu des marches :

—Bon! Maintenant, grand-maman, répondez-moi la vérité. Pourquoi avez-vous un dossier si épais?

Grand-maman fronce les sourcils et continue à descendre les marches comme si elle n'avait pas entendu la question.

—Grand-maman, si vous ne me dites pas la vérité

immédiatement, je vous jure que je resterai ici, dans l'escalier, pour le reste de ma vie!

Grand-maman fait mine de n'avoir rien entendu. Elle descend les dernières marches, ouvre la porte vitrée, puis disparaît vers la gauche. Je n'en reviens pas. Je reste plantée toute seule en plein milieu de l'escalier. Ce n'est pourtant pas dans ses habitudes, de m'abandonner comme ça. Pour faire une chose pareille, elle est sûrement très malade.

Je sors de la clinique en courant. Grand-maman n'est pas sur le trottoir. J'entre dans la pharmacie et je l'aperçois. Elle se dirige vers le comptoir des prescriptions, puis elle ouvre son sac à main et donne un petit papier au pharmacien. Il pose ses lunettes sur le bout de son nez et dit :

—Bon... Je vous prépare ça tout de suite.

Moi, je ne sais pas ce qui me prend, mais j'ai le goût de me coller contre ma grand-mère, c'est plus fort que moi. Mes bras l'entourent, mes mains la caressent, mes lèvres veulent l'embrasser.

—Noémie, tu ne devais pas rester dans l'escalier pour le reste de ta vie?

—... Je veux juste rester près de vous pour le reste de ma vie!

Grand-maman me serre dans ses bras. Si je le pouvais, j'entrerais à l'intérieur de ma grand-mère. Je mettrais mes jambes dans les siennes, mes bras dans les siens, ma tête dans la sienne, et je regarderais le monde par ses yeux.

Pendant que le pharmacien prépare ses pilules, grand-maman se dirige vers les allées où on vend des parfums, des cosmétiques, des rouges à lèvres. Je marche en la serrant par la taille. Je la suis comme une sangsue. Elle recule, je recule. Elle avance, j'avance. Elle ne bouge pas, je ne bouge pas.

—Mon Dieu Seigneur, Noémie, qu'est-ce qui te prend?

—Rien... Je vous aime, c'est tout!

Je laisse grand-maman devant les shampoings et je retourne vers le comptoir des prescriptions. En regardant les bouteilles sur les tablettes, je demande subtilement au pharmacien :

—À quoi servent toutes ces pilules?

—À soigner les arthropathies, la chondrocalcinose, la bradycardie, la septicopyohémie...

—Ah!... C'est intéressant...

—Mais il n'existe aucun médicament pour soigner la plus belle maladie du monde...

—Quelle plus belle maladie du monde?

Le pharmacien me regarde avec un grand sourire :

—La curiosité!

Il finit de remplir des flacons de pilules, puis il s'approche d'un petit micro. On entend dans toute la pharmacie :

—Madame Blanche Lumbago!

Grand-maman s'approche du comptoir. Je fais semblant

de regarder ailleurs, mais, du coin de l'œil, je vois tout ce qui se passe. Le pharmacien remet trois flacons à grand-maman. Mille questions me trottent dans la tête.

En sortant de la pharmacie, je donne la main à grand-maman. Sa paume est toute moite. Je demande :

—Elle s'appelle comment, votre maladie?

—Je fais de l'hypertension. C'est comme... C'est comme si j'avais trop de pression dans le sang, alors c'est dangereux pour le cœur. Les médicaments font réduire la pression. En plus, à mon âge, je dois régulièrement consulter un médecin pour vérifier certaines petites choses...

—Certaines petites choses comme quoi?

Grand-maman ne répond pas. Sa main devient toute molle, puis son bras, puis ses jambes. Avec horreur, je la regarde tomber au ralenti sur le trottoir. Je la retiens par les épaules pour l'empêcher de se frapper la tête sur le ciment. Je ne sais plus quoi faire. Mon cœur bat très fort dans ma poitrine. J'ai peur. J'ai chaud.

— Grand-maman! Grand-maman!

Elle relève la tête et murmure :

— ... Noémie... Donne-moi... mes pilules... une... de chaque flacon...

Je suis tellement énervée que je ne sais plus ce que je fais. Mes oreilles bourdonnent, j'ai la vue embrouillée. En vitesse, j'ouvre le sac à main de grand-maman et le vide sur le

trottoir. Les contenants roulent en tout sens. Je les attrape, en arrache les couvercles et donne trois pilules à grand-maman. Elle les avale d'une traite, comme quelqu'un qui a beaucoup d'expérience avec les maladies.

Pendant ce temps, quelques curieux s'approchent. Un grand garçon en vélo demande :

—Avez-vous besoin d'aide?

Une dame sort de chez elle et aperçoit grand-maman étendue sur le trottoir. Elle demande :

—Avez-vous besoin d'aide? Voulez-vous que je téléphone pour une ambulan...

—Non... Juste un grand verre d'eau, murmure grand-maman. Ça va déjà mieux!

La dame disparaît dans sa maison. Elle en ressort avec un

grand verre d'eau. Grand-maman boit par petites gorgées, comme un bébé. Plusieurs curieux nous encerclent. En vitesse, je replace toutes les choses qui étaient tombées du sac à main. J'aperçois une carte avec le nom d'un hôpital. J'enfouis la carte dans ma poche. Grand-maman dit :

—Bon, ça va mieux, maintenant.

Je l'aide à se relever. Elle s'appuie sur moi. Ensemble, nous trottinons sur le trottoir. Les curieux se dispersent. Je regarde grand-maman. Elle semble plus vieille que ce matin. J'essaie de ne rien imaginer, de ne rien penser. Je marche lentement près d'elle et je sens son vieux cœur qui cogne dans ma main.

-4-

Les explications

Nous arrivons devant chez nous. L'automobile de ma mère est stationnée de travers sur le côté de la rue. La porte de la maison est grande ouverte. À l'intérieur, j'entends ma mère qui semble parler toute seule. En nous voyant, elle se lève d'un bond et s'exclame au téléphone :

—Bon! Ne t'inquiète pas. Elle vient d'arriver! Oui... je vais lui parler... Oui... À ce soir!

Elle raccroche et, en prenant son air le plus fâché, elle me dit :

—Noémie, veux-tu m'expliquer ce qui se passe avec toi? La directrice de l'école m'a téléphoné. Tu as quitté l'école sans prévenir personne et tu as disparu sans aucune explication.

Je ne vais quand même pas lui raconter que les murs et la cuisinière tournaient comme des toupies. En cherchant une réponse intelligente, je baisse les yeux et serre la main de grand-maman, qui répond pour moi :

—Ne t'inquiète pas. Noémie voulait m'accompagner chez le médecin...

Ensuite, je n'entends plus rien. Je regarde par terre, mais je sais que ma mère et ma grand-mère se parlent en silence et en clins d'œil. Lorsque je relève la tête, ma mère dit :

—Bon! J'espère que c'est la dernière fois que ça se produit! Maintenant, j'aimerais que tu retournes à l'école!

Grand-maman m'embrasse et me dit :

—Ne t'inquiète pas. Tout va bien, maintenant.

Je regarde ma mère. Moi aussi, je prends mon air fâché. Je tourne les talons et je fais claquer la porte. Je retourne à l'école, même si je n'en ai aucune envie.

-5-

La vie

En me rendant à l'école, je regarde la carte d'hôpital que j'ai trouvée dans le sac de grand-maman. Je lis : *Docteur Zabiello. Médecine nucléaire.*

Médecine nucléaire... Qu'est-ce que ça veut dire... Nucléaire comme la bombe atomique?

J'arrive devant l'école. Les fenêtres sont grandes ouvertes. J'entends des professeurs parler, des élèves chuchoter. Et moi, je reste figée sur le trottoir avec la carte de l'hôpital dans la main.

Je veux entrer dans l'école, mais on dirait que mes pieds

ne veulent pas gravir les marches. Je leur ordonne de monter, mais ils refusent d'obéir. Ils pivotent lentement sur le côté. Malgré ma volonté, ils commencent à marcher, puis ils se mettent à courir comme les pieds d'une championne olympique.

Je cours, je cours en suivant mes pieds. Ils traversent des rues, montent un escalier et s'arrêtent sur le balcon de grand-maman. Ma tête leur ordonne de retourner à l'école, mais ils cognent sur la porte d'entrée. Bang! Bang! Bang!

Après quelques secondes, grand-maman ouvre le rideau de la fenêtre et m'aperçoit sur le balcon. Elle ouvre la porte et demande :

—Mais, voyons, Noémie... Que se passe-t-il encore?

J'éclate en sanglots. Sans prononcer un seul mot, je lui tends sa carte de l'hôpital. Grand-maman se penche, s'agenouille et me prend par la taille. Elle appuie son front sur mon ventre. Moi, en pleurant, je lui caresse les cheveux.

Puis elle relève la tête. Ses yeux sont pleins d'eau. Nous nous regardons pendant plusieurs secondes. Sans dire un mot, nous entrons dans la maison. Grand-maman s'assoit dans sa berceuse. Je me blottis dans ses bras, et nous nous berçons en silence. Après plusieurs minutes, je demande :

—Et puis?

—Et puis quoi?

—La carte de l'hôpital? La médecine nucléaire? C'est pour quoi?

Grand-maman ne répond pas. Elle se berce de plus en plus vite. Si ça continue, je vais avoir mal au cœur. Je pose un pied par terre :

—Alors, c'est quoi, la médecine nucléaire? Avez-vous tellement de pression que vous allez devenir une bombe atomique?

Grand-maman avale sa salive et dit, avec un trémolo dans la voix :

—Bon, Noémie, je vais te dire la vérité. Dans deux semaines, je dois faire un séjour à l'hôpital... pour... pour passer une série de tests...

—Avez-vous une maladie grave... Je veux dire, très grave... et même plus que ça?

—Non... Mais je ne me sens pas très bien... ces temps-ci.

—Des tests nucléaires? Ça veut dire quoi?

—Je te le jure, je ne sais pas... Il ne faut pas s'énerver pour rien.

Elle cesse de se bercer, me regarde et dit :

—Noémie, jure-moi que tu ne t'énerveras pas pour rien.

—Mais voyons donc, grand-maman... vous le savez. Moi, je ne m'énerve jamais pour rien...

En disant ça, j'éclate de rire. Grand-maman aussi. Nous rions comme de vraies folles. J'en ai mal aux côtes et aux joues. Grand-maman répète :

—Hi... hi... hi... Elle ne s'énerve jamais pour rien... Hi... hi... hi... elle est bien bonne, celle-là...

-6-

L'ambulance

L e temps passe au ralenti, de seconde en seconde, de minute en minute, d'heure en heure et de jour en jour. On dirait que la vie n'est plus pareille. Il reste douze jours avant que grand-maman parte pour l'hôpital. J'y pense tout le temps.

Il reste onze jours. Quelquefois, les murs recommencent à tourner. Il reste dix jours. Je prends de grandes respirations et je me calme. Il reste neuf jours. À chaque récréation, je vais dans le bureau de l'infirmière. J'appelle grand-maman pour avoir de ses nouvelles. Il reste huit jours. Je m'inquiète de plus en plus. Il reste sept jours. Le pire, c'est la nuit. Il reste six jours. Je refais toujours le même cauchemar : je vois grand-maman couchée dans un grand lit. Il reste cinq jours. Elle prend ses pilules avant chaque repas. Il reste quatre jours. Chaque matin, je m'habille en vitesse et je monte chez elle. Il reste trois jours. Elle est assise dans la cuisine et elle lit le journal.

Il reste deux jours. Pendant le cours d'éducation physique, le professeur organise une course de relais. Nous devons recevoir le témoin d'un autre coureur, faire le tour du gymnase et donner le témoin au dernier coureur de notre équipe.

J'attends mon tour pour recevoir le témoin. Soudain, les grands murs du gymnase se mettent à tourner comme des toupies. Je reçois le témoin et je me lance dans la course. Les murs tournent, le plancher devient mou comme du caout-chouc et je vois apparaître l'image de grand-maman dans une ambulance. Je ne contrôle plus rien. Sans même com-prendre ce que je fais, je m'élance vers la sortie de se-cours. J'ouvre la porte. Une sonnerie d'alarme résonne dans mes oreilles. On crie derrière moi. Mes oreilles bourdonnent. Je ne vois plus rien, je n'en-tends plus rien. La panique s'installe dans mes veines. Je cours sans m'arrêter, je traverse des intersections. On freine. On klaxonne. Je tourne au coin de ma rue et j'aperçois une ambulance devant chez moi. La portière se referme. Les gyrophares s'allument. La sirène hurle. Je crie :

—Attendez! Attendez!

L'ambulance démarre. Elle se dirige dans ma direction. Je bondis dans la rue. Le conducteur freine. L'ambulance dérape un peu. La fenêtre du conducteur s'ouvre. Il hurle :

—Non, mais!

Je crie à tue-tête :

—Vous emportez ma grand-mère! Je veux monter!

—Enlève-toi de là! crie le conducteur.

Je reste plantée au milieu de la rue :

—Jamais de la vie!

—Enlève-toi de là, je te dis!

Le moteur de l'ambulance rugit. Je ne bouge pas. Soudain,

le conducteur se penche et ouvre la porte du passager. En vitesse, je saute dans l'ambulance. Je jette un coup d'œil par la fenêtre arrière. Près d'un infirmier, j'aperçois une forme étendue sur une civière. Elle est emmaillotée dans une couverture rouge. Elle porte un masque à oxygène sur le visage. Je reconnais les cheveux de grand-maman.

—Qu'est-ce qu'elle a, ma grand-mère?

—Je ne sais pas exactement, dit le chauffeur. Nous avons reçu un appel d'urgence. Lorsque nous sommes arrivés, elle était sans connaissance près du téléphone. C'est peut-être une chute de pression, ou une...

La sirène retentit. Je n'entends rien d'autre. Le conducteur tourne son volant. Il accélère tellement vite que j'ai de la difficulté à respirer. J'ai le cœur dans la gorge.

Nous circulons à toute vitesse. Nous dépassons les autres automobiles et nous ne respectons pas les feux rouges. Soudain, le conducteur freine en disant :

—Ah non! Nous sommes prisonniers d'un bouchon de circulation.

Le conducteur tourne son volant vers la gauche et quitte la file des automobiles qui attendent. Il appuie sur un petit bouton. Le son de la sirène me glace les veines. En accélérant, nous avançons dans l'autre voie, en sens inverse de la circulation. Devant nous, les autos se tassent pour nous laisser passer. Je n'en reviens pas!

Nous arrivons à une inter-section. Je vois deux autos avec des pare-chocs arrachés et deux conducteurs qui s'engueulent. Nous les contournons à toute vitesse. Tout se passe tellement vite que je n'ai pas le temps de réfléchir. Nous filons jusqu'à un hôpital juché en haut d'une côte.

-7-

L'hôpital

Nous nous arrêtons devant la porte de l'urgence. Les infirmiers se précipitent pour ouvrir les portes arrière de l'ambulance et ils sortent la civière sur laquelle est étendue grand-maman. Elle a les yeux fermés, comme si... comme si... elle était mo... Je sens toutes mes forces me quitter. C'est comme si je mourais moi aussi. Je deviens comme un zombie, une morte vivante. Mes oreilles se bouchent. Je n'entends que des bruits en écho. J'ignore comment je fais pour tenir debout. Je pose ma main sur le métal froid de la civière, et je me laisse guider.

À l'intérieur de l'hôpital, on s'active à gauche et à droite. Je suis tellement étourdie que je ne vois que des ombres circuler autour de moi. J'ai l'impression de fonctionner au ralenti. La civière s'immobilise. Une dame habillée en blanc se penche sur grand-maman. Elle consulte les ambulanciers. J'entends des bribes de conversation... Téléphone... urgence... sans connaissance... pilules...

Des mots, des phrases toutes faites sortent de ma bouche :

—C'était ma grand-mère... elle prenait des pilules... contre la haute pression...

La civière repart dans une autre direction. Je m'y agrippe. Nous traversons un corridor. Nous entrons dans une grande

salle. Des rideaux blancs sont tirés autour de la civière. Ils nous entourent complètement.

Une infirmière s'approche, vérifie la température, le pouls et la pression sanguine de grand-maman. Avec une grosse seringue, elle lui fait une piqûre. Puis elle accroche un sac de liquide transparent au-dessus de la civière. Le liquide descend par un long tube jusque dans le bras de grand-maman. L'infirmière me dit :

—Ne t'inquiète pas. C'est du soluté...

Puis elle me fait un clin d'œil et disparaît derrière le rideau. Je reste seule près de grand-maman. On dirait que mon cœur s'arrête de battre. Je n'ai plus de pensées. Je n'ai plus peur de rien. Je suis ici sans être ici. Je ne sais pas si le temps passe. J'ai les deux mains accrochées au bord de la civière, et j'attends...

Soudain, le rideau s'ouvre. Un grand monsieur avec des lunettes s'approche et me pose des questions. Ma bouche s'ouvre. Je donne mon nom, celui de grand-maman, les numéros de téléphone de mes parents à la maison et au travail. Puis le monsieur disparaît et je reste encore seule devant le corps de ma grand-maman qui ne bouge pas.

Le rideau s'ouvre encore. Deux hommes transportent la civière de grand-maman dans une grande pièce sombre où plusieurs malades sont alités. Avec d'infinies précautions, les deux hommes font glisser grand-maman sur un lit très haut. Ils la recouvrent d'une couverture grise et s'éloignent en discutant de hockey.

Je ne sais plus quoi faire. Je voudrais embrasser grand-maman, la serrer très fort dans mes bras. Je grimpe sur le lit et, sans même réfléchir, je me couche près d'elle. J'ai peur de la toucher. J'ai peur de la sentir toute froide... Je pense aux belles choses que j'ai vécues avec ma belle grand-maman Lumbago. Je pense à toutes les fois où nous avons écouté la télévision, à tous les verres de lait que nous avons bus, à toutes les pommes que nous avons mangées. Je songe à tous les moments où nous ne faisions rien, où nous ne disions rien en flattant le chat et en écoutant le petit serin jaune.

Lentement, en tremblant, je glisse ma main sous la couverture. Le bout de mon index touche son bras. Il est chaud. Grand-maman se tourne lentement vers moi. Un à un, elle referme ses doigts sur ma main. Je me colle contre elle. J'entends sa petite respiration sur ma joue. Je lui murmure :

—Allô…. ma belle grand-maman d'amour en chocolat avec un peu de crème fouettée et un peu de noisette et aussi un peu de confiture et aussi un peu de caramel...

Elle garde les yeux fermés. Je devine un petit sourire sur ses lèvres. C'est comme si je recevais un coup de soleil dans la tête.

Je lui caresse les cheveux. Elle murmure :

—Noémie… Qu'est-ce qui m'est arrivé?

—Ne vous inquiétez pas... Tout va bien...

Elle tremble. Ses paupières battent comme les ailes d'un papillon. Une grosse larme coule de son œil gauche, glisse le long de sa joue et disparaît dans le coton de l'oreiller.

Je lui murmure :

—Grand-maman, puis-je faire quelque chose pour...

Elle me serre la main très fort. Soudain, j'entends des pas qui approchent. Le rideau s'ouvre, mon père apparaît, les cheveux dépeignés, le teint blême, la cravate dénouée. Il me regarde étendue près de grand-maman. Il ouvre la bouche, mais il ne dit rien. Il s'assoit sur le bord du lit, se passe la main dans les cheveux, se relève et disparaît derrière les rideaux. Je l'entends discuter avec une infirmière. Il revient, s'assoit sur une petite chaise et soupire :

—Quelle journée de fous!

▲ ▲ ▲

Mon père et moi passons tout l'après-midi près de grand-maman. De temps en temps, une infirmière vérifie son pouls, sa température, sa pression artérielle. Le petit sac de soluté suspendu au-dessus d'elle se vide goutte à goutte.

Vers la fin de l'après-midi, deux médecins apparaissent près du lit. Ils veulent examiner grand-maman. Mon père et moi quittons la pièce. Nous attendons devant des machines distributrices. Mon père boit un café. Moi, je n'ai pas soif, je n'ai pas faim. J'ai l'estomac plein de nœuds.

Je me blottis contre mon père. Il caresse mon front avec sa main chaude qui a été réchauffée par le café.

—Papa! Est-ce que grand-maman va guérir?

En me serrant dans ses bras et en fermant les yeux, il fait signe que oui avec la tête.

—Est-ce que ça va prendre du temps?

Il hausse les épaules pour signifier qu'il ne le sait pas. Puis, après avoir regardé les murs et les plafonds, il baisse les bras et dit :

—Tu sais, Noémie, il n'existe malheureusement pas de médicaments contre la vieillesse…

-8-

Dans le corridor

Nous patientons dans le corridor de l'urgence. Une trentaine de malades attendent, assis sur de petites chaises turquoise. Ici, il y a encore plus de circulation que sur un coin de rue. Des gens passent en fauteuils roulants, en béquilles, d'autres toussent, éternuent, crachent. De très jeunes enfants pleurent. Des parents essaient de les consoler en les prenant dans leurs bras et en marchant de long en large.

Moi, je ne bouge pas. Pour passer le temps, j'essaie de deviner la maladie des gens.

Quelquefois, c'est facile, mais d'autres fois, ça prend beaucoup d'imagination parce que certaines personnes ont des maladies secrètes très bien cachées.

Mon père boit des cafés à n'en plus finir. Il regarde sa montre. Il marche comme un lion en cage. Il se mordille les lèvres. Il fourre ses mains dans ses poches, ensuite il les joint dans le dos, ensuite il ne sait plus quoi faire. Mon père est habitué de travailler, alors, quand il ne travaille pas, il ne sait pas quoi faire. Soudain, il met la main dans la poche intérieure de son veston et en sort un téléphone cellulaire. Il appuie sur les boutons, parle à quelqu'un en se retournant vers le mur pour que je n'entende pas sa conversation.

Après une longue attente dans le corridor, une infirmière s'approche de nous. Je me précipite vers elle :

—Est-ce que grand-maman est guérie?

Elle regarde mon père et dit :

—Votre mère fait encore de l'hypertension. Nous allons la garder sous observation pendant quelque temps...

—Combien de temps?

—Le temps qu'il faudra pour faire un examen complet.

—Habituellement, ça prend combien de temps pour faire un examen complet?

—Ça dépend des cas...

Là, je n'en peux plus. Je dis à l'infirmière :

—Elle va rester à l'hôpital pendant combien de temps? Une journée? deux jours? trois jours? une semaine? un mois? une année? Et moi? Qu'est-ce que je vais devenir pendant tout ce temps? Grand-maman Lumbago est ma grand-mère préférée et ma meilleure amie. Comprenez-vous ça? Je l'aime!

Et puis les mots ne sortent plus de ma gorge. Je commence à pleurer. Mon père me prend dans ses bras. L'infirmière ajoute :

—Bon, nous allons l'hospitaliser. Désirez-vous une chambre privée ou semi-privée?

—Privée, répond mon père.

—D'accord, dit l'infirmière. Il faut passer à l'administration. Au bout du couloir, à droite. Ensuite, il faudrait lui apporter des effets personnels.

—D'accord, répond mon père comme un automate.

À l'administration, mon père signe des papiers, donne des cartes, reçoit des cartes. Il n'y a vraiment rien d'intéressant là-dedans. Lorsque c'est terminé, il dit :

—Viens, Noémie. Nous retournons à la maison.

—Non! Je reste ici avec grand-maman.

Mon père me prend par le bras :

—J'ai dit, à la maison!

D'un coup d'épaule, je me dégage et m'enfuis dans le corridor. Mon père crie :

—Noémie! Reviens immédiatement!

Je cours dans le corridor de l'hôpital. Je tourne à gauche, à droite. Soudain, je ralentis pour ne pas frapper une vieille dame en fauteuil roulant. Mon père me rattrape. J'essaie de me dégager. Il me retient par les deux bras et me soulève. Je crie :

—Je veux voir grand-maman! Je veux voir grand-maman!

Tout le monde se retourne et nous fixe. Moi, je commence à être habituée. Mon père devient rouge. Il fait un faux sourire. Je me dégage encore une fois et me glisse entre les chaises de la salle d'attente.

—Noémie! Viens ici immédiatement!

Je me faufile entre les patients et me précipite dans le corridor pour rejoindre grand-maman. Il y a plein de corridors et de portes. Toutes les pièces se ressemblent, je ne sais plus où me diriger. Je crie :

—G R A N D - M A M A N ! GRAND-MAMAN!

Pas de réponse. Mon père m'attrape, me soulève comme une poche de patates et me dit d'un ton sec :

—Ça suffit, Noémie! J'ai assez de problèmes comme ça!

Moi aussi, j'ai assez de problèmes comme ça. Je ne veux pas quitter l'hôpital sans ma grand-maman. Je crie à tue-tête :

—Au secours! Au secours! Quelqu'un m'enlève!

Mon père me serre encore plus fort dans ses bras. J'étouffe :

—Au secours! Au secours! Un ravisseur m'emporte!

Soudain, mon père s'immobilise. Il relâche son étreinte et, lentement, il me dépose par terre. Devant nous, deux gardiens de sécurité bloquent le passage. Ils regardent mon père avec des fusils dans les yeux. Mon père bredouille :

—C'est ma fille... Tout cela est ridicule...

Les deux gardiens me regardent d'un air interrogateur. Je ne dis rien. Je baisse les yeux. Mon père ajoute :

—Voyons, Noémie, dis quelque chose... Dis-leur que je suis ton père.

Après un long silence, je dis :

—Je veux voir grand-maman, d'abord.

Mon père devient tout crispé. Il se penche, me prend par les épaules et me secoue comme si j'étais une poupée de chiffon :

—Noémie! Arrête! J'en ai assez!

—Moi aussi, j'en ai assez! Je veux revenir à la maison avec grand-maman, et qu'elle ne soit plus malade, et qu'on écoute tranquillement la télévision, et que le petit serin chante dans sa cage, et que tout soit comme avant, et que...

Mon père me coupe la parole :

—D'accord, on va voir grand-maman si tu me promets de rentrer à la maison tout de suite après...

—Oui... Oui... Je promets... Je promets...

Puis, en regardant les deux gardiens qui s'impatientent, j'ajoute :

—Vous voyez bien que c'est mon père. On se ressemble comme deux gouttes d'eau!

Mon père me prend par la main et demande :

—Pouvez-vous m'indiquer où sont les chambres d'observation?

Nous suivons les deux gardiens. Je reconnais le corridor et la salle avec les lits. Je lâche la main de mon père et je me précipite derrière le grand rideau blanc. Mon cœur s'arrête net. Le lit de grand-maman est complètement vide. Les draps sont bien placés. L'oreiller a été secoué. Tout est propre, et grand-maman s'est volatilisée.

-9-

La panique

Grand-maman a disparu. Je ne comprends plus rien. Mon cœur s'éteint. Mes poumons se dégonflent. Mon sang s'arrête. Je reste debout, immobile et muette devant le lit vide. Mon père discute avec une infirmière, puis avec une autre. Ensuite, il me prend la main et dit :

— Noémie, tu as promis...

Il m'entraîne hors de l'hôpital. Je me laisse guider comme si j'étais une poupée. Mon corps traverse le stationnement, monte dans la voiture et s'assoit. J'entends la voix de mon père :

—Noémie, ne fais pas cette tête-là! Tu me fais peur!

Moi aussi, j'ai peur. Je n'arrête pas de penser à grand-maman. Pourquoi a-t-elle quitté son lit? J'imagine toutes sortes de scénarios : elle s'est réveillée sur son lit d'hôpital et a voulu retourner à la maison, et là, elle est perdue dans le labyrinthe des corridors. Ou bien elle s'est fait enlever par un voleur de grands-mères. Ou bien on l'a transportée ailleurs parce qu'elle est... Quand je pense à ça, mon sang ne fait qu'un tour. Ça crie dans mon ventre! Je détache ma ceinture de sécurité et j'ouvre la portière pour descendre de l'automobile. Mon père freine d'un coup sec en plein milieu de la rue. Il hurle :

—Noémie! Es-tu devenue folle?

Il m'attrape par une jambe. J'éclate en sanglots. Derrière nous, on klaxonne, on s'impatiente, on crie. Je referme la portière. Mon père commence à trembler. Je ne l'ai jamais vu dans un état pareil. Il est blanc comme un lit d'hôpital. Les yeux vont lui sortir de la tête. Il ressemble à un chien enragé. On klaxonne encore. Mon père donne un gros coup sur le volant, puis il ouvre sa fenêtre, sort la tête de l'auto et, en levant le poing, il crie des mots que je n'ai pas le droit de répéter.

On klaxonne encore. Mon père fait semblant de vouloir sortir de l'auto. Puis il se rassoit, la bouche crispée, le front plissé. Il se tourne vers moi, attache ma ceinture et dit en serrant les dents :

—Toi, si tu bouges, tu vas avoir affaire à moi!

Il appuie sur l'accélérateur. Nous repartons. Je ne dis plus un mot. Je ne bouge plus. Les rues défilent. En dedans de moi, je deviens enragée. Je voudrais griffer le ciel, mordre les arbres. Je voudrais bondir hors de l'auto et courir jusqu'à l'hôpital.

Mon père stationne devant la maison. Il sort en vitesse, fait claquer la portière. Il entre chez nous et fait claquer la porte d'entrée.

Pendant quelques secondes, je reste figée dans l'automobile. Je voudrais disparaître, ne plus exister, devenir du vent. Je regarde les oiseaux dans le ciel. Ça me fait penser au petit serin. Quelqu'un doit nourrir les animaux!

En vitesse, je monte sur le balcon, sors ma clé, ouvre la porte. On dirait que la maison est morte. Pas un bruit. Le chat se cache derrière une chaise. Le serin est immobile sur son perchoir.

Je reste sans bouger en plein milieu de la cuisine. J'imagine grand-maman devant sa cuisinière. Je l'imagine près de moi. Mais je suis toute seule. On dirait que ma vie n'a plus de sens.

Soudain, la porte s'ouvre. En entrant, mon père dit :

—Bon... Il faut apporter des choses à grand-maman.

Il se dirige dans la salle de bain, s'empare de la brosse à dents et de la pâte dentifrice. Puis il réfléchit et va chercher la robe de chambre de grand-maman. Il me lance :

—Bon! Viens-t'en, Noémie!

—C'est tout ce que tu lui apportes?

—Quoi? Qu'est-ce qu'il faut d'autre?

Mon père n'a vraiment pas d'allure... Je vais chercher un grand sac dans le garde-robe. En vitesse, j'y enfouis du shampoing, des peignes, des brosses, des débarbouillettes, un pyjama, du rouge à lèvres, un petit miroir, des pantoufles, quelques revues, deux livres...

Mon père s'impatiente. Il fait les cent pas sur le balcon. Une fois le sac bien rempli, je referme la porte :

—Bon, nous pouvons y aller.

Nous descendons les marches, entrons dans l'automobile. Soudain, je crie :

—Non, attends!

—Quoi? Qu'est-ce qu'il y a encore?

Je sors en courant, grimpe les escaliers, puis me précipite chez grand-maman. Mon père klaxonne. Il est vraiment très impatient, aujourd'hui. Je redescends, les bras chargés. Mon père sort de l'auto. Il donne des coups de poing sur le capot :

—Mais, voyons, Noémie! Laisse le serin et le chat chez grand-maman. Nous n'avons pas le droit d'apporter des animaux à l'hôpital!

—Es-tu certain?

—Oui! C'est défendu!

—Qui a décidé ça?

—Laisse faire qui a décidé ça! Remonte les animaux tout de suite!

—Grand-maman ne pourra pas vivre sans ses animaux!

—Noémie, si tu ne les remontes pas, je pars immédiatement!

Je remonte chez grand-maman, pose la cage du serin sur la table d'entrée puis je redescends. J'entre dans l'auto, mais je m'assois à l'arrière.

—Noémie, pourquoi t'assois-tu derrière?

Je ne réponds pas. Mon père démarre en faisant crisser les pneus sur l'asphalte. Je ne dis pas un mot. Je ne veux pas attirer son attention. J'ai caché le chat sous mon chandail...

-10-

Le chat

Nous arrivons à l'hôpital. Mon père est tellement impatient et tellement de mauvaise humeur qu'il ne s'est aperçu de rien. Le chat se blottit contre moi. Il a peur. Il me griffe sous le chandail, mais je ne dis rien. Je regarde l'hôpital avec ses milliers de fenêtres. Je me demande comment nous allons retrouver grand-maman. Il va falloir regarder dans toutes les chambres. Ça risque de devenir infernal avec mon père qui est déjà à bout de nerfs.

À l'intérieur de l'hôpital, nous nous rendons au comptoir

des renseignements. Mon père demande :

—Le numéro de chambre de madame Blanche Lumbago, s'il vous plaît.

La dame consulte un écran d'ordinateur et répond :

—Je regrette, il n'y a personne de ce nom...

Mon père devient encore plus blanc que blanc. Il regarde le plafond. Heureusement, juste avant qu'il ne fasse une crise épouvantable, la dame demande :

—Quel était son nom de fille? Avant qu'elle se marie...

—... Blanche Vaillancourt!

La dame fait courir ses doigts sur le clavier, consulte encore l'écran :

—Blanche Vaillancourt... Chambre 465... Premier ascenseur à droite... Quatrième étage... À gauche en sortant.

Nous montons dans un ascenseur très spécial avec une porte devant et une porte derrière. Au quatrième étage, nous tournons à gauche, marchons un peu et arrivons devant le numéro 465. Mon père ouvre la porte. Et là, je manque de tomber sans connaissance. C'est exactement la chambre que j'ai aperçue lorsque les murs tournaient. Les mêmes rideaux recouvrent les fenêtres. Tout est semblable. Il fait sombre. Grand-maman est couchée sur le dos, la bouche ouverte. Elle ne bouge pas.

J'ai peur. Je prends la main de mon père. Nous nous approchons lentement. Mes yeux fixent grand-maman. Nous contournons le lit et nous restons là, immobiles comme deux statues.

Mon père me regarde, me fait signe de m'asseoir dans le fauteuil des visiteurs. Il pose son index sur sa bouche pour me signifier de ne pas faire de bruit. Il quitte la chambre à pas de loup, et je reste seule devant grand-maman.

Le chat gigote sous mon chandail. Je le caresse pour le calmer. Il ronronne comme un moteur. Ses ronronnements résonnent dans toute la chambre. Je regarde grand-maman et je fais comme dans les films. J'essaie de lui envoyer des ondes qui viennent de mon cerveau. Mais ça ne fonctionne pas. Je voudrais me lever, la toucher, mais j'en suis incapable. J'ai trop peur qu'elle soit devenue... froide.

Soudain, grand-maman bat des paupières. Elle ouvre les yeux et regarde au plafond. Puis, lentement, elle tourne la tête, me regarde et me sourit. Mon cœur veut exploser. En tenant le chat sous mon chandail, je me lève et j'embrasse grand-maman sur les deux joues. Elle ne dit pas un mot. Elle me regarde avec ses petits yeux et nous parlons en silence. Puis je lui murmure à l'oreille :

—Grand-maman, j'ai une surprise pour vous!

Je sors le chat caché sous mon chandail et je le dépose sur le lit. Grand-maman fait une drôle de figure, c'est comme si elle était heureuse et malheureuse en même temps. Je lui dis :

—Je m'excuse, mais je n'ai pas pu apporter le serin, mon père ne voulait pas!

Le chat vient se blottir dans son cou. Il ronronne. Grand-maman tourne la tête, frotte sa joue sur les poils du chat. Son visage s'éclaire. Elle ronronne elle aussi.

Soudain, la porte s'ouvre. Je cache le chat sous les draps. Grand-maman relève les genoux. Ça fait comme une petite tente dans le milieu du lit. Mon père s'approche. Il me regarde en disant :

—J'espère que tu ne l'as pas réveillée!

Grand-maman murmure :

—Mais non... Je... me suis... réveillée toute seule... Noémie est... un ange...

Mon père soupire. Il répète à mi-voix :

—Un ange... un ange...

La porte s'ouvre encore. Ma mère apparaît. Elle dit bonjour

à tout le monde. Nous sommes plantés tous les trois devant grand-maman et nous ne savons pas quoi dire, quoi faire. Soudain, nous entendons un petit miaulement. Mon père cligne des yeux. Ma mère fronce les sourcils. Je deviens chaude comme une fournaise. Grand-maman dit :

—J'aimerais boire un peu d'eau.

Elle se relève un peu dans le lit. Elle me regarde. Son silence veut dire : Ouf, nous l'avons échappé belle, mais je ne sais pas pour combien de temps!

Mon père lui apporte un verre d'eau. Grand-maman boit par petites gorgées. Nous entendons un autre miaulement. Les yeux de mon père se promènent de gauche à droite. Il n'y a plus de doute possible. Un chat miaule quelque part. Mais où?

Je fais l'innocente. Je siffle. Grand-maman boit en faisant beaucoup de bruit. Soudain, M...I...A...W... Nous entendons un autre miaulement. Ma mère se mord les lèvres. Mon père dit :

—Non, ce n'est pas vrai!

Moi, je baisse les yeux. Mon silence me trahit. Ma mère demande :

—Noémie, tu n'as pas... tu n'as pas...

Grand-maman tente de sauver la situation. Elle dit :

—Noémie m'a apporté un beau cadeau...

Elle enfouit ses mains sous les couvertures et sort le chat. Elle le colle contre elle, le câline en souriant. Mes parents me regardent d'un air furieux. Ils vont sûrement me mettre en punition jusqu'à la fin de ma vie!

La porte s'ouvre encore. Panique dans la chambre. Grand-maman pousse le chat sous les couvertures. Une infirmière s'approche du lit, vérifie le petit sac de soluté. Nous la regardons sans rien dire, en espérant que le chat ne miaulera pas.

Avec un thermomètre électronique, l'infirmière prend la température de grand-maman. Soudain, l'infirmière écarquille les yeux. Nous regardons le lit de grand-maman. Les draps bougent tout seuls. En vitesse, grand-maman relève les genoux. Elle bouge les pieds pour créer une diversion.

Moi, je lance :

—Grand-maman! Arrêtez donc de faire des farces... avec vos pieds!

L'infirmière vérifie la température. Nous sommes tellement énervés que nous lui demandons tous en même temps :

—Et puis, fait-elle de la température? Est-ce que tout va bien? Et vous, comment allez-vous?

L'infirmière ne répond pas. Elle quitte la chambre. Nous recommençons à respirer. Grand-maman sort le chat de sous les couvertures. Ma mère regarde sa montre :

—La visite est terminée! Viens, Noémie! Nous rapportons le chat à la maison...

—Mais, maman...

Elle me prend par le bras :

—Viens, Noémie!

-11-

Adieu,
grand-maman

Je sens une pression qui monte en moi. Je deviens toute chaude et tout étourdie. Ma bouche s'ouvre et murmure :

— Je reste avec grand-maman...

Au loin, en écho, j'entends les voix de mes parents :

— Noémie... Assez, c'est assez... Noémie, n'attends pas que je me fâche... Noémie, fais ta grande fille...

Je regarde grand-maman. De grosses larmes coulent sur mes joues. Je me divise en deux parties. Ma tête veut que j'obéisse à mes parents, mais mon corps reste immobile. C'est mon corps qui gagne.

Pendant que je pleure, mes parents discutent à voix basse. Ils se font des signes. Après un long moment, la voix de grand-maman dit :

—Noémie?

—Oui, grand-maman?

—Noémie... Tu dois absolument retourner à la maison.

—Pourquoi?

—Parce que toi seule peux nourrir le serin et t'occuper du chat pendant mon absence.

Je ne suis pas folle. Je sais que c'est une tactique. Pour me convaincre, grand-maman ajoute :

—En plus, quelqu'un doit prendre le courrier et entretenir l'appartement...

—Ouais...

—Et aussi, je dois me reposer le plus possible... sinon...
sinon... je vais rester étendue
ici jusqu'à la fin de ma vie...

Je tombe dans les bras de
grand-maman et je me mets à
pleurer à gros bouillons. Grand-
maman aussi. Mon père aussi.
Ma mère aussi. Le petit chat
aussi. Nous sommes agrippés
les uns aux autres. Nous nous
embrassons les uns les autres...
Soudain, la porte s'ouvre. Deux
infirmiers entrent et nous regardent pleurer. Le plus grand des
deux murmure :

—Excusez-nous, mais nous
devons emmener madame…

J'essuie les larmes sur mes
joues :

—L'emmener où?

—Elle doit passer une série
de tests, dit l'un des infirmiers.

—Et les chats ne sont pas tolérés dans l'hôpital, ajoute l'autre.

Mon père dit :

—Bon, il faut y aller. Nous reviendrons demain soir!

Les yeux pleins d'eau, je me colle contre grand-maman et l'embrasse comme si je voulais que ce baiser dure mille ans. Mes lèvres se soudent à sa joue.

Les infirmiers s'impatientent. Mon père et ma mère répètent :

—Noémie, il faut y aller... Noémie, grand-maman doit se reposer...

J'essaie de me décoller, mais j'en suis incapable. Ma bouche tout entière est soudée à la peau de ma grand-mère, qui murmure :

—Prends bien soin du chat et du serin, ma belle Noémie...

En entendant ces mots, j'ai l'impression de tomber dans un trou noir. Je suis certaine que c'est la dernière fois que je l'embrasse. Mes parents me prennent par les épaules et me tirent doucement vers l'arrière. Ma main touche une dernière fois celle de grand-maman.

Je prends le chat et le cache sous mon chandail. J'ai les yeux mouillés, la gorge sèche, les mains moites et le cœur en miettes. Mes parents me poussent doucement vers la porte. Je ne suis plus moi. Je suis devenue quelqu'un d'autre. Cette autre Noémie se retourne en pleurant. Elle regarde la chambre et la vieille dame couchée dans le lit. Puis sa bouche s'ouvre et elle s'entend dire :

—Adieu, grand-maman...

La vieille dame verse une larme, fait un petit signe de la main et tourne la tête.

Encadrée par mon père et ma mère, je quitte la chambre et marche comme une somnambule dans le corridor de l'hôpital. Je n'existe plus.

-12-

La vie triste

Je passe les heures les plus difficiles de toute ma vie. La nuit est longue. La journée encore plus. Après l'école, je monte chez grand-maman. Je ramasse le courrier. Je nourris le chat et le serin. J'essaie d'étudier, de faire mes devoirs, mais j'en suis incapable. J'ai froid, j'ai peur. On dirait que la maison est morte. Je regarde le vide qui m'entoure, qui m'envahit. En panique, je lance mes cahiers dans mon sac et je descends chez moi. Je me cache dans mon lit et j'attends qu'on m'appelle pour le souper.

Mon père, ma mère et moi, nous mangeons sans rien dire. À la fin du repas, je soupire :

—Je n'ai pas faim pour le dessert... Nous devrions aller voir grand-maman tout de suite.

Je quitte la maison avec mon père. Nous nous dirigeons vers l'hôpital, nous stationnons et nous prenons l'ascenseur sans dire un mot. Nous arrivons devant la chambre de grand-maman. Mon cœur galope dans ma poitrine. Je pousse lentement la porte et j'aperçois grand-maman, immobile, couchée sur le dos, les mains jointes. Je n'ose plus m'avancer. Je me fige sur place. Mon père s'approche et se penche vers elle. Puis il me regarde et fait un semblant de sourire. Ça veut dire qu'elle n'est pas... Ça veut dire qu'elle est encore vivante.

Je m'approche et je ne la reconnais presque pas. On dirait qu'elle a vieilli de dix ans en une seule journée. Je m'assois dans le gros fauteuil des invités et j'attends. Je n'ai pas le droit de bouger, ni de parler, ni même de tousser. Grand-maman doit se reposer le plus longtemps possible.

Pendant ce temps, mon père quitte la chambre pour parler aux infirmières et aux médecins. Puis il descend à la cafétéria et revient avec du chocolat, des croustilles et des bonbons. Il mange nerveusement, sans arrêt.

Moi, je n'ai pas faim. Je regarde grand-maman et je me dis que je fais un cauchemar. Je ferme les yeux, les rouvre et me retrouve toujours devant ma grand-maman immobile... en espérant qu'elle me fasse un petit signe de la main...

Après trois heures d'attente, grand-maman dort encore. Je suis tout engourdie. Mon père me fait signe que nous devons

partir, mais je ne suis plus capable de bouger. Il doit me tirer par un bras et me pousser hors de la chambre. Il me pousse jusqu'à l'ascenseur, jusqu'à l'automobile. Une fois à la maison, il me pousse jusque dans mon lit, m'aide à enfiler mon pyjama et m'embrasse en murmurant :

—Dors bien, ma chérie...

Je ne réponds pas. Je me recroqueville entre les draps glacés. Mon père fait quelques pas vers la porte, puis il s'arrête, revient vers le lit, enlève ses souliers et s'étend près de moi. En fredonnant une berceuse, il me caresse les joues avec sa grosse main. Sa voix tremble de plus en plus. Après un long silence, je l'entends renifler.

—Papa... Est-ce que tu...

Il ne répond pas. Je l'entends pleurer dans le noir.

-13-

La fin

Grand-maman passe des examens tous les jours. Le soir, pendant nos visites, elle dort si profondément qu'elle semble ne pas respirer. Je n'en peux plus. Je suis malheureuse.

Grand-maman dort quatre soirs de suite. Comme je ne peux pas lui parler, je lui écris des mots sur des feuilles que je colle sur les murs autour de son lit d'hôpital. J'écris des *Je vous aime, grand-maman...* Je lui dessine des baisers avec plein de *XXX...* Je laisse des messages : *Vous êtes ma grand-maman chérie préférée...*

La vie est triste sans ma belle grand-maman Lumbago. Le courrier s'accumule dans l'entrée. Le serin ne mange presque plus. Le chat ne ronronne plus. Le réfrigérateur non plus. Les aiguilles de l'horloge tournent au ralenti. Même le robinet ne laisse plus couler de petites gouttelettes dans le lavabo. J'ai l'impression de devenir un biscuit sec.

Je marche comme un fantôme dans l'appartement de grand-maman. Je regarde son lit, ses vêtements, son balai. Je vide le dernier contenant de lait dans un grand verre et je bois de petites gorgées en marchant dans le corridor. Pour passer le temps, je regarde les photos accrochées aux murs. Je ne sais pas pourquoi, je passe et repasse toujours devant la même photographie, celle où grand-maman, toute jeune, me regarde en souriant.

Soudain, pendant que je regarde ma jeune grand-maman qui me sourit, mon sang se glace dans mes veines. J'entends un petit *clac*! Le cadre se décroche du mur et tombe sur le plancher. Je lâche mon verre de lait pour essayer d'attraper le cadre. Trop tard. Grand-maman tombe par terre. Le verre de lait atterrit dessus. Le verre et la vitre du cadre se brisent en mille morceaux. Le lait s'infiltre dans les fissures. Il couvre le front de grand-maman, puis ses yeux et finalement sa bouche. Grand-maman blanchit, s'efface, et disparaît complètement sous l'épaisse couche de lait. Je ne la vois plus! Je ne la vois plus! Mon cœur s'arrête! Une main invisible m'empoigne le ventre! Je m'appuie contre le mur pour ne pas tomber sans connaissance, puis, en tremblant, j'avance à quatre pattes jusqu'à la porte. Je dégringole l'escalier en titubant, j'entre chez moi et me dirige vers mon père, qui essore une laitue.

— Vite, papa, il faut aller à l'hôpital. Grand-maman est... Grand-maman est...

Mon père répond :

— Il faut attendre un peu. Les visites ne commencent qu'à 19 heures.

Je deviens folle. Je saute sur mon père et je crie :

— On ne peut pas attendre! Grand-maman vient de mou... grand-maman vient de mou... Vite, il faut y aller tout de suite!

Mon père se retourne et me serre dans ses bras :

—Noémie, calme-toi! Il faut attendre ta mère. Elle va arriver d'une minute à l'autre!

Moi, je continue à crier :

—Grand-maman est mor...! Je le sais! Elle a disparu sous le lait! Vite! On n'a pas le temps d'attendre!

Mon père, qui ne comprend rien, me regarde avec ses yeux rougis par les larmes. J'ajoute :

—Vite! J'ai mal au ventre! Je vais mourir, moi aussi!

En vitesse, mon père disparaît dans sa chambre et en ressort en enfilant une autre chemise. Il s'élance vers la porte, court sur le trottoir et s'engouffre dans l'automobile. Je cours derrière lui. J'entre dans l'auto. Nous partons en faisant crisser les pneus sur l'asphalte.

Au coin de la rue, mon père freine brusquement. Il klaxonne avec impatience. Ma mère, qui marche sur le trottoir, nous aperçoit. Elle lâche ses paquets et s'approche...

—Vite, maman! Monte! Grand-maman vient de...

Ma mère écarquille les yeux et monte dans l'automobile en oubliant ses sacs d'épicerie sur le trottoir. Mon père accélère comme un coureur automobile. Il roule à une vitesse folle. Il passe sur des feux jaunes. Il fait ses arrêts à moitié. J'ai tellement mal au ventre, tellement mal partout que j'ai l'impression que je vais... Soudain, une eau salée remplit ma bouche. En vitesse, j'ouvre la fenêtre de l'automobile et je vomis.

Ma mère se tourne vers moi, elle me tend des mouchoirs de

papier. J'aperçois l'hôpital en haut de la côte. Mon cœur veut sortir de ma poitrine. J'ai chaud et froid en même temps. Je suis tout étourdie. Mon père freine devant l'entrée principale. Nous sortons de l'automobile en courant. Un gardien de sécurité siffle. Nous n'avons pas le droit de nous garer à cet endroit. Mon père lui lance ses clés en hurlant :

—C'EST UNE URGENCE!

Nous courons jusqu'à l'ascenseur. Il fait exprès pour nous faire attendre. Nous nous engouffrons dans l'escalier. Nous grimpons les marches en courant. J'arrive au quatrième étage la première, loin devant mon père. Je m'élance vers la chambre de grand-maman. On dirait que ce n'est plus moi qui vis ma vie. J'ai l'impression de courir vite et au ralenti en même temps.

Je file dans le long corridor et je m'arrête brusquement devant la porte de grand-maman. Une peur épouvantable m'envahit. Tout mon sang me monte à la tête. Mes idées s'emmêlent. Je tremble. Mes genoux ne me supportent plus. Je vais tomber. Je vais... Mon père m'attrape et me prend dans ses bras. Il inspire et expire à toute vitesse. Ma mère s'approche en gémissant. Elle laisse tomber son sac à main et s'appuie contre le mur pour reprendre son souffle.

Je n'en peux plus. Je glisse des bras de mon père et lentement, très lentement, je pousse la porte de la chambre. J'ai tellement peur que je ferme les yeux. Mon sang bourdonne dans mes oreilles. Je tremble. Je claque des dents. Soudain, j'entends :

—Mon Dieu Seigneur, la belle surprise !

J'ouvre un œil. Je vois grand-maman, assise dans son lit devant une table à roulettes. Elle s'apprête à manger quelque chose.

—Grand-maman ! Grand-maman ! Vous n'êtes pas... Vous n'êtes pas...

En portant sa fourchette à sa bouche, elle s'exclame :

—Oui... oui, je suis encore un peu malade, mais ça va beaucoup mieux, maintenant !

Je suis tellement contente que je saute sur le lit pour me précipiter dans les bras de ma grand-mère. Sans faire exprès, je donne un coup de genou sur la table et je tire sur le fil du soluté. En une fraction de seconde, les patates pilées, les petits pois et tout le reste du repas s'envolent dans les airs. Le support qui tient le sac de soluté tombe sur le côté, dégringole sur le lit et appuie sur le bouton d'urgence. Deux secondes plus tard, une infirmière accourt dans la chambre. Elle nous aperçoit, grand-maman et moi, empêtrées, emmêlées dans les draps, les assiettes, le fil du soluté, le support et la table à roulettes. En éclatant de rire, elle dit :

—Bon, vous voilà dans de beaux draps!

Grand-maman et moi sommes tellement soudées l'une à l'autre que l'infirmière dit :

—Bon, est-ce que mademoiselle voudrait bien se dégager un peu... Vous reprendrez

vos mamours dans quelques instants!

Je bouge un bras, puis une jambe, grand-maman lance de petits cris :

—AOUTCH! AOUTCH!

Plus j'essaie de me dégager, plus je m'empêtre dans le fil du soluté. Grand-maman, mon père, ma mère et l'infirmière me donnent des conseils contradictoires.

—Mon Dieu Seigneur! Attention, Noémie. Passe ton coude par ici...

—Non! Non! dit ma mère. Ta jambe, ici...

—Ta tête, passe ta tête ici...

Finalement, l'infirmière se fâche :

—Bon! Monsieur, madame, veuillez attendre quelques instants dans le corridor!

Mes parents quittent la chambre. L'infirmière soupire :

— Incroyable... Je n'ai jamais vécu une situation pareille.

Après dix minutes de tortillements et de contorsions, je suis enfin libérée. En fronçant les sourcils, l'infirmière vérifie le sac de soluté et l'accroche au support. Puis un monsieur nettoie les dégâts, enlève les draps et les remplace par des couvertures toutes neuves qui sentent le savon. Grand-maman me fait un clin d'œil. Je me glisse dans le lit en murmurant :

— Vous êtes vraiment ma grand-maman Lumbago préférée en chocolat avec du miel, de la confiture et un peu de sucre à la crème sur le dessus!

Elle me serre dans ses bras et ajoute :

—Et toi, tu es ma petite Noémie à la crème fouettée avec du caramel et de la guimauve et du chocolat fondant et du...

—Grand-maman. Promettez-moi quelque chose!

—Tout ce que tu voudras!

—Promettez-moi de ne plus jamais me faire une peur pareille!

—Promis... je te le jure! À partir d'aujourd'hui, je ne vieillis plus, je rajeunis...

-14-

Après

Grand-maman va de mieux en mieux. Elle a passé tous ses examens avec une moyenne de cent pour cent. Elle en est très fière. Elle dit en souriant :

—Je suis la meilleure malade du monde !

On lui a enlevé son soluté. Sa pression descend parce qu'elle prend de nouvelles pilules. Elle redevient en bonne santé... Tous les jours, je lui apporte des pommes, des oranges, des bananes, du chocolat. Elle mange avec appétit. Moi aussi... Elle sourit de plus en plus souvent. Moi aussi...

Elle me fait des clins d'œil de plus en plus souvent. Moi aussi... Elle marche à petits pas dans la chambre en répétant :

—Mon Dieu Seigneur que ça fait du bien... que ça fait du bien...

Tous les soirs, à l'hôpital, je l'aide à se coiffer, à se maquiller, à se pomponner. C'est moi qui tiens son petit miroir. On dirait qu'elle rajeunit d'heure en heure.

—Grand-maman, si vous continuez à rajeunir comme ça, vous allez vous retrouver à la pouponnière!

▲   ▲   ▲

Bonne nouvelle! Grand-maman sort de l'hôpital dans deux jours! Elle est presque guérie. Je profite de la fin de semaine pour préparer son appartement. Je lave le plancher, le comptoir et les bibelots. Il y a de la poussière partout.

Je nettoie la cage du serin. Elle brille comme une neuve. Je la décore avec des papiers de couleur découpés dans des revues. Je brosse le chat de tout bord tout côté. Je lui fais une belle grosse boucle dans le cou. Il ressemble à un cadeau.

J'essaie de tout prévoir pour que grand-maman ne se fatigue pas. Je nettoie sa cuisinière. Je dépose une casserole dessus et j'installe le sel et le poivre juste à côté. Je place des tranches de pain dans le grille-pain. Elles sont prêtes à se faire rôtir. Je mets aussi une poche de thé dans sa tasse préférée et je la dépose près de la bouilloire remplie d'eau fraîche. Il ne restera qu'à la faire bouillir.

Puis je sors la coutellerie et les assiettes réservées pour les grandes occasions et je les place sur la table devant deux beaux chandeliers. Je place le beurrier, le sucrier, la saucière tout près de l'assiette pour que grand-maman ne se fatigue pas à les chercher.

Ensuite, je vais dans la chambre de grand-maman et je place les couvertures en triangle sur le côté de son lit pour qu'elle s'y glisse facilement. Je place ses pantoufles devant le lit et sa robe de chambre sur une chaise. Elle n'aura qu'à les enfiler.

Puis je colle des feuilles de papier les unes près des autres et je les fixe au mur du corridor pour créer de grandes banderoles, sur lesquelles j'écris *BIENVENUE, MA BELLE GRAND-MAMAN D'AMOUR.* Puis, sur d'autres feuilles plus petites, je lui écris des messages que je cache partout dans l'appartement. Il y a des *JE T'AIME!* sous son oreiller, des *COUCOU!* entre les débarbouillettes, des *BONNE JOURNÉE!* cachés dans le garde-robe, et des *DEMANDEZ-MOI CE QUE VOUS VOULEZ!* un peu partout dans la cuisine.

Lorsque j'ai terminé tous mes préparatifs, je marche dans l'appartement. Le petit serin chante dans sa cage. Le chat miaule sur le comptoir. La cuisinière ronronne. La maison est redevenue vivante...

Moi aussi...

AGMV Marquis

MEMBRE DU GROUPE SCABRINI

Québec, Canada
2000